喜羊羊与灰太狼
Pleasant Goat and Big Big Wolf

21 漂流记

童趣出版有限公司编　人民邮电出版社出版
北京

主要人物介绍

喜羊羊
族群里跑得最快的羊，乐观、好动，永远带着微笑。他总能识破灰太狼的阴谋诡计，拯救羊羊族群的生命，是羊氏部落的小英雄。

美女羊，心灵手巧。她还是营养学家、美容师、模特儿……一切与"美"有关的事她都精通，是大家跟风模仿的对象。

美羊羊

懒羊羊
最聪明的小肥羊之一，最喜欢的运动是睡觉。他聪明机智，而且临危不乱，总是一副大智若愚、举重若轻的样子。

沸羊羊

最健壮的羊，也是最鲁莽的一只羊。经常是一副很酷的样子，总爱持反对意见，以为自己英伟不凡、天下无敌，其实很多时候都无能为力。

慢羊羊

羊村村长，最年长的羊。博览群书，平时最爱搞小发明，是个乌龙发明家，但危急时又能派上用场。他的动作总是慢吞吞的，常把身旁的羊急死。

暖羊羊的心肠跟她的名字一样，充满阳光和温暖。重量级的身躯和无比善良的性格展现出来的魅力，总是让人大跌眼镜。

暖羊羊

灰太狼

住在青青草原对面的森林里，是个"聪明"又倒霉的坏蛋，爱钻研抓羊技巧，一有机会就去骚扰羊部落。他永远想偷羊吃，却永远被羊羊们打败。

灰太狼的老婆，贪婪、虚荣、狠毒。虽然长得一般却总打扮得华丽高贵，自以为天下最美。总是逼着灰太狼去抓羊，自己却坐享其成。

红太狼

肥蕉

灰太狼的侄子，外表冷漠，内心善良。因偶然的机会和暖羊羊成为好朋友。保持素食是肥蕉的生活理念，吃更大一些的香蕉是肥蕉的终身追求。

嚓嚓嚓！

匹！

你不去抓羊，跑到这儿来干什么？

是谁在打扰我工作？

没有起子，就直接在这儿把瓶口敲碎吧！

啪！

吱嘎……

这船也太不结实了吧！

轰！

哗啦啦……

完了，完了。

灰太狼！看你这破船！

这样不会让小肥羊们发现，隐蔽点儿嘛。

可我们现在这样算隐蔽吗？

我不知道这里的河床竟然这么浅。

过了这段路，前面的河水就会深很多。到时候，我们的潜水艇就有大用处了。

可是，小肥羊都不见了！

不见了?

那就追呀!

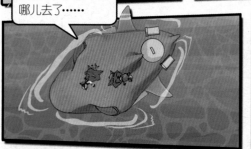

累死了,小肥羊都哪儿去了……

这时候,一只大鲨鱼游了过来……

有鲨鱼!

嗯,鲨鱼妹妹!

快钻进去!

耶,画得不错!

哼!

走开!这是我的地盘!

咯噔!

嗯,咬不动?

哎哟,我的牙!

嗖!

驱鲨成功!

美丽的大海，美丽的鲸喷……

原来羊村河流的尽头是大海，真美啊！

我觉得都差不多吧！躺在哪儿都是这么睡……

是啊，太美了！

我们跟你没有共同话题！

我们在这岛上插面旗吧，表示我们来过。那么这个岛就是我们的了！

这个岛是属于大自然的，不是你插面旗就代表是你的了。

太可恶了!

嗖!

嗒!

喜羊羊, 这点儿小事……

让我来吧!

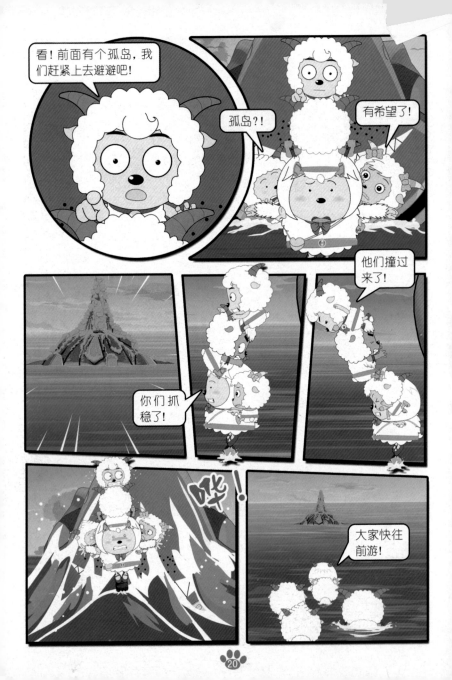

哈哈，好热闹哇!

肥蕉，你也来啦!

越热闹越让我有机会把小肥羊们捉到手!

红太狼，赶快来青青草原的嘉年华帮忙捉羊!

信鸽啊信鸽，快点儿回家帮我报个信。

快飞吧!

这么下来有点儿疼，但是很快！

嘿，小肥羊们，我来了！

哎呀，这么多河马跑过来了！

快闪啊！

快点儿，就在前面！

你们太野蛮了……

在"青青嘉年华"的活动会场里，大家都在尽情地玩乐……

该从哪儿下手呢？

哈！我可以装扮成木马！

哈哈，真好玩儿！

灰太狼开始幻想……

小肥羊……

对,就这么办!

哼!

砰!

哇,旋转木马!

蕉太狼,你也来呀!

好啊!

喜羊羊的枪法真准!

呵呵, 原来他们在这儿。

咔嚓——

?

不!

灰太狼随着机器的转动而转动……

别, 别……

我这次一定要瞄准!

砰!

啊!

哎哟……

耶,我也击中靶子了,而且还是灰太狼靶子!

咦,这灰太狼靶子还会发声呢!

是啊,发出的声音还真像我二叔啊!

太神奇了!

真有意思!不如我们再打他几枪玩玩,怎么样?

好啊,好啊!

砰!砰!砰!

哼!

原来是虚张声势,
根本就打不准啊!

我就站在
这儿打!

怎么,你还
想打啊?

不要啊!

啊!

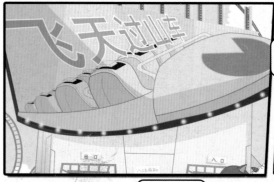

刚才太恐怖了!

我腿都软了。

哇,过山车!好期待哦!

哼,喜羊羊!我一定要惩罚你们!

他们去坐过山车了,好!你们完蛋了。

我有武器!

看招!

啊?

呃—

你太狠毒了!

你想谋害一个游乐园的大猩猩?

猩哥,一场误会,我找错对象了。

工作人员

45

48

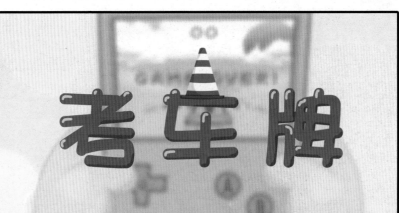

考车牌

不要追啦，我想尿尿！

少废话!

嚓嚓嚓……

我憋不住了。

嘿!

各位小朋友，过马路一定要走人行横道啊。

喜羊羊，多亏了你救我！好漂亮的轿车呀。

是慢羊羊村长新造的车，每人一辆。

太好了，以后就不怕灰太狼追了……

糟了！

嘻嘻，对不起，我一高兴或者一紧张就会尿尿。

刹车!

制动踏板!

闪!

闪!

哟嗬!爽呆了!

总算没事了。

快停下!

快让开!

突然,从远处驶来一辆大货车!

村长设计的车真不怎么样。

第二天……

谁让你们到处乱开车的？

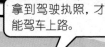
拿到驾驶执照，才能驾车上路。

你们要通过考试……

第一轮考试结束后……

哇!

仔细看我的演示。

原来是要这样啊!

障碍物是要绕过去的,不是撞过去。

要是当初说明白了,我也能绕过去。

啊,慢羊羊村长真厉害!

都看明白了吗?

明白了!

嘻嘻!

怎么会这样?

又是一个晴朗的日子……

送给你……

两位小姐,要坐车吗?

经过考试,只有沸羊羊和喜羊羊拿到了驾驶执照。

好啊!

耍什么威风,我也能搭女孩子。

狼历3517年，11月2日，阴，东北风4到5级，今天是森林里最冷的一天⋯⋯

在灰太狼的狼堡里⋯⋯

灰太狼正在像往常一样用日记记录每天发生的故事。

早上9点，我亲爱的老婆像每天早上一样，给我来了一个早安吻。

早安!

刷!!

啊！

啪！

你起来了。

嗯，我饿了，快给我找点儿吃的来。

我这就去河边给你抓癞蛤蟆。

癞蛤蟆？你把我当什么了？我要吃羊肉！

她又开始喋喋不休了。

74

哇哈哈，我的重要发明终于成功了。

研究什么呢？不知道的，还以为你想拆房子呢！

看我的最新发明——弹簧鞋。

就这东西？

你别看它只是一双鞋，有了这个东西……

我就直接可以跨越河流……

耶, 成功!

再跳过他们的铁栏杆......

好啊! 快, 快穿上它, 多抓几只羊回来。

然后冲进羊村, 把那些肥羊一只一只抓回来!

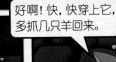

效果不错!

就跳这么高啊?

嗬!

让我来帮帮你!

嗨!

咚!

啪!

叮!

这样快多了!

在羊村......

标枪要投得高、投得远......

必须朝45度角的方向,用力投出去。

我是故意的，要不然，这个懒羊羊怎么会醒呢？

哦，原来是这样。

来，站好了！开始练习掷标枪。准备，45度角……

嗖！嗖！嗖！

用力！出手……

糟糕，灰太狼来了！

哈哈，什么都难不倒我灰太狼大王！

你别过来啊！过来我用昏睡果砸你！

灰太狼想起了以前被昏睡果打晕的事情……

你太瘦了，先不吃你……

我进村子抓一只更肥的！拜拜！

赶紧通知大家！

嗝！

羊村的警报声响起……

呜啦呜啦——

有情况！

81

哇，小羊们都在等着我呢！

是灰太狼！

大家不用慌，镇定！

原来灰太狼穿了弹簧鞋，怪不得跳得那么高！

灰太狼跳到半空中的时候最容易被打倒……

那现在怎么办？

大家拿起标枪……

准备，45度角……出手！

哇哈哈！我的羊肉们！

嗖嗖嗖嗖！

我躲！

没办法了吧！

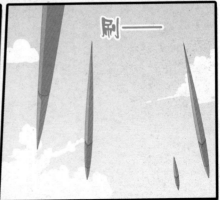

刷——

叽叽喳喳……

村长，灰太狼肯定还会再来的。我们一定要想办法阻止他进来。

让我想想……

村长头上又长草了，看来还得想一阵子，不如我先睡一会儿。

再想想……

要是灰太狼再跳进村子，我们就不能再打球了！

打球？有办法了！

我的方法是这样的……

喜羊羊，你慢点儿说！

狼历3517年，11月5日，阴，东北风6到7级。

今天，森林里刮了好大的风，经过两天两夜的改造……

我终于制成了第二代弹簧鞋！

现在不再只是直线上下跳，还可以忽左忽右。这样就可以躲开敌人的攻击了。

唉，我的新发明还没有人愿意来试验一下……

谁可以留下来试验一下？

唉，没人愿意当试验者……怎么测试它的性能呢？

我来啦！

嘭！嘭！嘭！

看我飞得多稳！

咦，怎么没有羊值班呢？

你弹，我们也会弹!

啪!

丝!

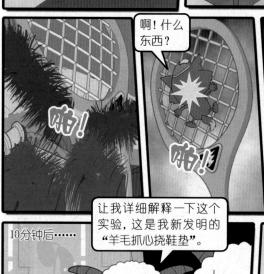

啪!

啊!什么东西?

啪!

咔!啪!

呀!

让我详细解释一下这个实验，这是我新发明的"羊毛抓心挠鞋垫"。

10分钟后……

它表面是薄薄的一层塑胶，实际上包含了一千万个活性羊毛细胞……

我们把它放进灰太狼的鞋里面……

喂，你想干什么？

就拜托你了。

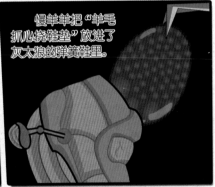

慢羊羊把"羊毛抓心挠鞋垫"放进了灰太狼的弹簧鞋里。

什么东西？好痒啊！

哟嗬嗬，痒死我了！

我受不了了！

村长，他为什么会这样？

因为活性羊毛细胞一受到压力，就会晃动。

这样，就像有一千万根羊毛在抓灰太狼的脚心……

他越跳得高，就越觉得痒！

他再坚持一下，实验结果就出来了。

不要再挠我脚心啦！

哈哈哈！痒死我了！

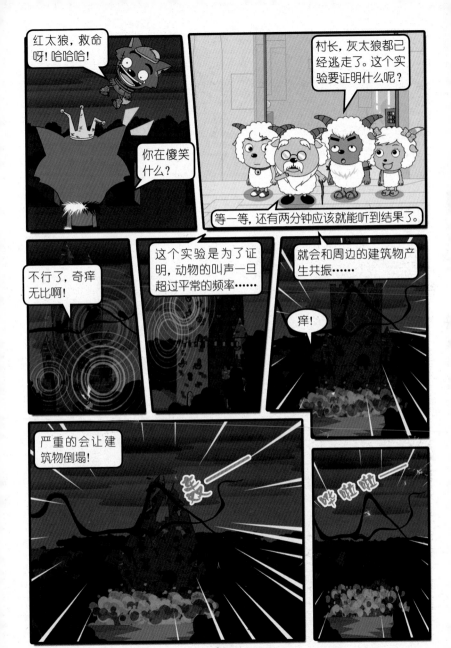

图书在版编目（CIP）数据

喜羊羊与灰太狼. 21，漂流记／童趣出版有限公司编.
— 北京：人民邮电出版社，2009.1
ISBN 978-7-115-19117-5

Ⅰ.喜… Ⅱ.童… Ⅲ.动画：连环画—作品—中国—现代 Ⅳ.J228.7
中国版本图书馆CIP数据核字（2008）第171130号

喜羊羊与灰太狼21
漂流记

根据广州原创动力动画设计有限公司制作的动画片改编 www.22dm.com

出 版 人：侯 明 亮
策划编辑：范 萍
责任编辑：莫 杨
封面设计：唐 婷 婷
排版制作：金蓓蕾图书工作室

编译出版：童趣出版有限公司
出版发行：人民邮电出版社
地 址：北京市东城区交道口菊儿胡同七号院（100009）
网 址：www.childrenfun.com.cn

读者热线：010-84180588
经销电话：010-84180552

印 刷：北京画中画印刷有限公司
开 本：889×1194 1/32
印 张：3
字 数：75千字
版 次：2009年1月第1版 2009年1月第1次印刷
书 号：ISBN 978-7-115-19117-5/G
定 价：10.00元

··· ◀ 独家预告 ▶ ···

健忘的村长发明了一个失物追踪器，只要把想要找到的东西画在屏幕上，追踪器就会准确地显示物体的方位。可是，这个追踪器被灰太狼在无意中捡到。最令人担心的是，灰太狼在反复操作之后，知道了这个新型设备的用途。羊羊们有难了！